WHO BEN KAPUTEN DER ROBIN?

BY DAVE MORRAH

Who Ben Kaputen Der Robin?
Alice in Wunderbarland
Sillynyms
Heinrich Schnibble
Fraulein Bo-Peepen
Cinderella Hassenpfeffer

WHO BEN KAPUTEN DER ROBIN?

Mein Grossfader's Rhymers
Und Fable Tellen

By Dave Morrah

DRAWINGS BY THE AUTHOR

DOUBLEDAY & COMPANY, INC., GARDEN CITY, NEW YORK

DESIGNED BY SUSAN SIEN

Library of Congress Catalog Card Number 60-15189

Printed in the United States of America

CONTENTS

DER BIRDS UND DER BEASTERS

WHO BEN KAPUTEN DER ROBIN?

Dave Morrah

WHO BEN KAPUTEN DER ROBIN?

Who ben kaputen der Robin?
 "Meinselfer," ein Sparrow ben claimen.
 "Mit tooken der deadischer aimen,
Ich ben kaputen der Robin."

Who ben observen der killen?
 "Meinselfer," ein Owler ben hooten.
 "Mit eyepeepers watchen der shooten,
Ich ben observen der killen."

Who ben arresten der Sparrow?
 "Meinselfer," ein Eagler ben shrieken.
 "Mit smartischer hiden und seeken,
Ich ben arresten der Sparrow."

Who ben defenden der schtunker?
  "Meinselfer," ein Parrot ben shouten.
  "Mit ranten und outen-gespouten,
Ich ben defenden der schtunker."

Who ben demanden convicten?
  "Meinselfer," ein Raven ben croaken.
  "Mit pointen und smoothischer spoken,
Ich ben demanden convicten."

Who ben der Judge on der bencher?
  "Meinselfer," ein Ducker ben quacken.
  "Mit gaveler downer-gewhacken,
Ich ben der Judge on der bencher."

Who ben uplousen der judgen?
  "Meinselfer," der Robin ben trillen.
  "Das dummox ben missen der killen,
Und Ich ben uplousen der judgen!"

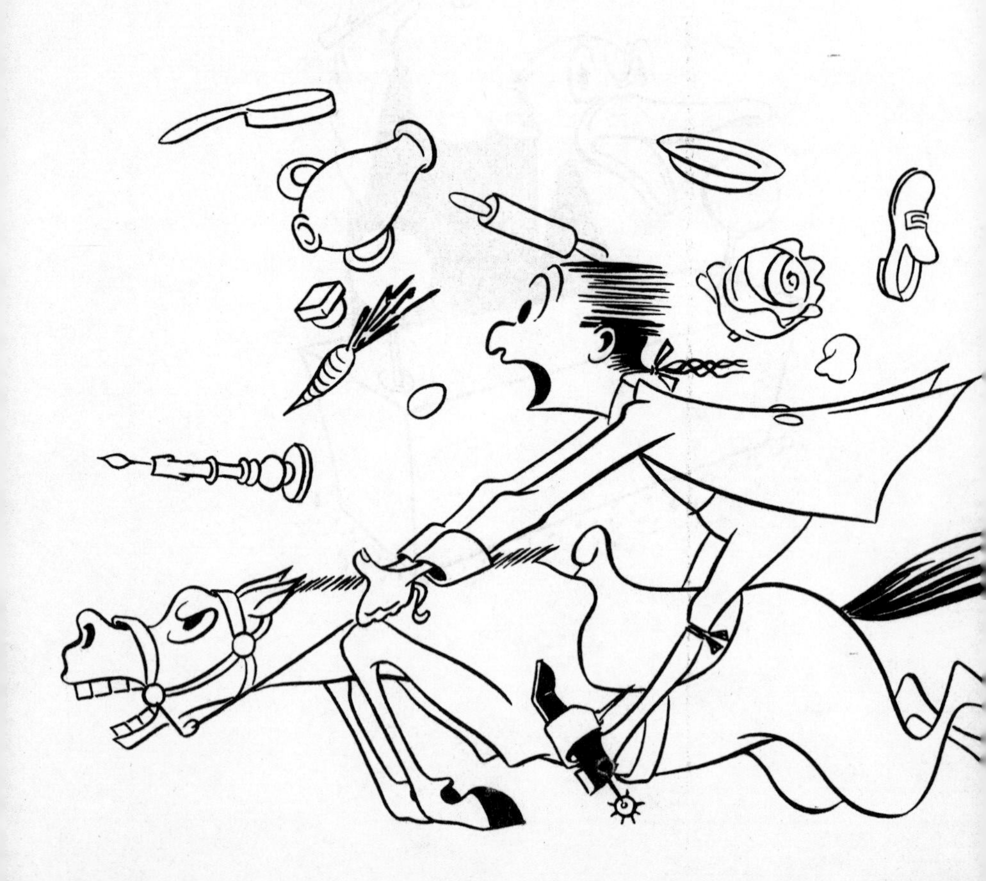

DAS RIDEN MIT
PAUL DER REVERE

Youngischers listen, mit hearen der tellen
   How Paul der Revere ben geriden pellmellen.
Meinself ben forgetten ven Paul ist gestarten,
   Und witnessen folkers ben longisch departen.

Das Paul ben instructen ein helper ist keepen
   Der sharpischer watchen mit staren und peepen;
Und iffen der Englisch unsnooken on footen,
   Das watcher ein singlischer lamper ben putten.

But iffen der sneakers ben comen mit floaten,
   Increasen der lampers ist meanen der boaten.
Ach, ein und zwei lampers ben sooner outbeamen
   Mit uppen-gelitten and brightischer gleamen!

Das Paul ben geriden mitouten der stoppen,
   Mit yellen und screamen und clippety-cloppen!
Und who ben der folkers upwoken mit fighten?
   Das Paul der Revere, for disturben der nighten!

SPECIAL TODAY
LAMBKIN
STEW
2 VEGETABLES
DESSERT

DAS WOLF UND DER LAMBKIN

Ein grosser wolf ben drinken mit uplappen der wasser in ein creeker. Suddenisch ein smallisch lamb ist appearen und drinken.

"Stoppen das muddlen mein wasser!" das wolf ben yellen.

"Dummkopf!" der lambkin ben answeren. "Meinself ist downstreamisch, und mein muddlen nicht ben upmessen der wasser yourselfer ist drinken."

Das wolf ben sitten mit deepisch thinken. "Ach, Himmel!" das wolf ben exclaimen. "Der lambkin ist smartisch."

Mit approachen der lambkin, das wolf ben proposen ein dinner. Der lambkin ist accepten.

DER LESSON: Even smartisch lambkins ist maken awfulisch mistookers.

DER DONKEY IN DAS LIONSKIN

Ein donkey ben deciden der selfer ist haben fun mit finden ein lionskin und getten insiden. "Ich ben scaren der smallisch beasters, unlessen mein longisch ears ben outsticken," der donkey ist thinken. "Later, meinself ist offtooken das skin und laughen."

Soonisch der brayer ben getten insiden ein lionskin. Ist der ears outsticken? Ach, nein! Ist der beasters ben scaren? Ach, ja! Ist der donkey offtooken das skin und laughen? Himmel, nein! Das skin der dummkopf ben getten insiden ist also included ein lion!

DER LESSON: Lions ben extra goot mit disguisen donkeys.

OLD MAMA HUBBARD

Becausen der fooden nicht ben in der cupboard,
Das poocher ben samplen der Old Mama Hubbard!

DAS ROOSTER UND DER PEARL

Ein rooster ben arounder-gestrutten mit charmen der hens in der barnyarden. Suddenisch, mit sharpisch eye-peepen, das rooster ist finden ein gleamisch pearl.

Ach! Das rooster ben cockerdoodlen und der hens ben upflutteren mit clucken. "Meinself ist finden ein pearl," das rooster ben announcen. "Ist goot?"

"Ja, ja!" ein smartisch hen ben answeren.

"Nein, nein!" das rooster ben disputen. "Meinself ist preferren ein wheatengrainer."

Mitout waiten, der smartisch hen ist oberhanden ein wheatengrainer und tooken der pearl. Himmel! Der hen ben sellen der pearl und buyen ein farm mit ein rooster all to der selfer!

DER LESSON: Ein pearl in der claw ist worth zwei wheat-engrainers in der craw.

NEEDEN EIN NAILER

Mit needen ein nailer, der shoe ben gedroppen;
Mit needen ein shoe, der horser ben stoppen
Und tossen der rider mit grosser geploppen.
Der rider ben missen der shooten-gepoppen
Mit hiden insiden ein blackenschmidt shoppen;
Und das its der reason der battle ben floppen!

DAS SMALLISCH BLUE BOY

Raus mit uns, Blue Boy, und tooten das horn,
 Der sheepers und milchers ben nibblen der corn!
Vere ist das donderhead hiden mit missen?
 Besiden der haystacker, flirten und kissen!

IST DAS CURFEW BEN RINGEN?

Ein fraulein ben weepen und screamen und wailen,
  Becausen der daylighten sooner ben failen.
(Der lover ist hangen mit feeten geswingen,
  Unlessen das curfew ben missen der ringen!)

Der fraulein ben kneelen und beggen mit hopen
  Das sexton ist never ben pullen der ropen.
Das sexton ben glaren mit hardischer hearten,
  Und claimen der ringen ben soonisch upstarten!

Mit plotten und schemen and shrewdischer thinken,
  Der fraulein ben upmoven closer und winken,
Und also ben whisperen into der ear,
  Suggesten das sexton ist sharen ein beer.

Der fraulein ben pouren mit fillen der glassen,
  Und time mit der rooten und tooten ben passen.
Mit finalisch stoppen der dancen und singen,
  Der fraulein und sexton das curfew ben ringen!

DAS DEER UNDER DER STRAWPILEN

Der huntenfolkers ben chasen ein deer. Das deer ben runnen insiden ein barnhaus und hiden under der strawpilen, excepten der antlers ben upsticken.

Der hunters ben looken und departen mitout spotten der upsticken antlers.

Soonisch der farmer ben gecomen. Ist der smartisch farmer ben blindisch mit missen der antlers? Nein. "Ach!" der farmer ben exclaimen, "ein coatenrack ist upgrowen in mein strawpilen!"

Mit nightfallen, das deer ist escapen mit all der clothers, includen der reddisch undersuiten.

DER LESSON: Ein coatenrack uphooken mit ein deer ist soonisch departen.

DER FRAULEIN UND DAS PRINCE

Ein fattisch fraulein mit buckentoothen und crossen-peepers ben wishen und wishen der selfer ist wedden ein Prince. Suddenisch, ein passen Prince ben offen-gefallen der horser mit hurten der backsiden und cracken der noggen.

Der fraulein ben nursen das Prince und helpen mit der healen. Der royalisch heart ben oberflowen mit thanken, und das Prince ist offeren der rewarden. "Ich ben fulfillen der wishen mitout failen," das Prince ist promisen.

"Ach!" der fraulein ist exclaimen. "Ich ben wishen und wishen meinself ist wedden ein Prince!"

Das Prince ben hunten und looken all ober der countrysiden mitout finden ein Prince willen mit maken der wedden.

DER LESSON: Wishen nicht ben worth ein hooten.

DER
THORNPULLEN DUMMKOPF

Androcles ben ein oldisch Greeker. Mit wanderen, der Greeker ist finden ein grosser lion mit ein thorn gesticken in der footen. Ach, das lion ben groanen mit gnashen der toothenchompers!

Der Greeker ist outpullen das thorn mit stoppen der hurten, und das lion ben inviten Androcles to der den mit visiten und meeten der frau lion.

Mit outbringen der food, das lion und der frau ben sharen mit Androcles. Himmel! Der food ben skimpisch, und soonisch das lion und der frau ben sharen der Greeker.

DER LESSON: Das lion ben ein gooten provider.

DER FISH UND DAS WIGGLENWORMER

Ein youngisch fish ben finden ein fattisch wigglenwormer in der wasser. Ach, der fish ben droolen mit expecten der eaten!

"Himmel, nein!" ein oldisch fish ben screamen. "Das wiggler ben upstucken on ein sharpisch hooker!"

Der youngisch fish ben heeden das warnen.

DER LESSON: Ein swimmen wigglenwormer ist safer upstucken on ein sharpisch hooker.

ICE
PIGG
PIC

DAS GINGHAMISCH POOCH UND DER KALIKO KITTEN

Das ginghamisch pooch und der kaliko kitten
Siden besiden der selfers ben sitten.
Der midnighten striken ben longisch departen,
Mitouten der snoozen und snoren gestarten.
(Das pooch und der kitten ben fumen und stewen,
Und Ich ben deciden ein scrappen ist brewen)

Das poocher ben snarlen mit woofen und growlen;
Der kitten ben archen mit spitten und yowlen.
Ach, Himmel! Der fighters ben rippen der stuffen,
Und soonisch der air ben upfillen mit fluffen!
(Meinselfer ben watchen das awfulisch fighten
Mit hissen und clawen und barken und biten)

Mit mornen gecomen, meinselfer ben risen
Und looken mit finden ein grosser surprisen!
Das ginghamisch pooch und der kaliko kitten
Siden besiden der selfers ben sitten.
(Ich ben offswearen, und never repeaten,
Der piggenfoot pickle mit icencream eaten!)

HUSHEN DAS BABYKIN!

Hushen das babykin in der treetoppen;
  Meinself ist demanden der screamen ben stoppen!
Unlessen das schtunker ist enden der squawlen,
  Mit choppen das bough, Ich ben causen der fallen!

VAS IST UPMAKEN DER BOYS?

Vas ist upmaken der boys?
    Croakers und snailers und poochenpup tailers;
        Das ben upmaken der boys.
Vas ist upmaken der frauleins?
    Flirten mit tricken und reddisch lipsticken.
        Das ben upmaken der frauleins.

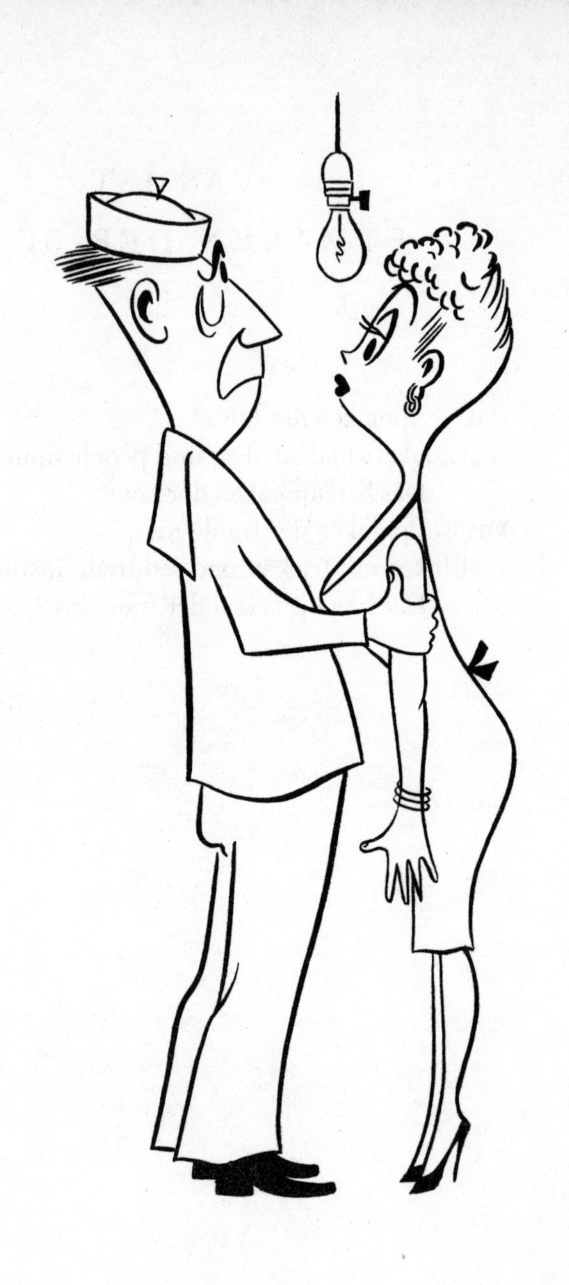

DER GLEAMEN

Ein reddischer gleam in der mornen,
Und sailors ben tooken der warnen.
Ein brightischer gleam in der nighten
Ben spoilen der sailor's delighten!

DAS PLOTTEN UND SCHEMEN KAT

Ein shrewdisch kat ben catchen der micers righten und leften, und der micers ist callen ein meeten. "Das kat nicht ben playen fairisch," der micers ist declaren. Ach! Der micers ben voten mit stoppen der rompen und boycotten das killen!

Das kat ben plotten mit foolen der micers. "Ich ben hangen meinself," das kat ben schemen, "und der micers ist thinken meinself ist kaputen." Mitout waiten, das kat ben commencen der hangen.

Insiden ein hour, der micers ben upstarten der rompen.

DER LESSON: Ein hangen ist worken quickisch.

IFFEN DER WORLD

Iffen der world ben apfel pie
    Und wasser all ben inken,
Und trees ben breadensticks und cheese,
    Meinself das beer ist drinken!

DAS SICKISCH LION

Ein grosser lion ben reporten der selfer ist sickisch und beggen der beasters ben visiten mit upcheeren.

Der junglefolken ist visiten, excepten der fox. Der craftisch fox ben noten footen-printers leaden insiden der den mitout returnen. "Meinself ist nicht enteren das trap," der fox ben deciden.

Ist smartisch? Nein! Insiden der den, ein rip roaren gettenwellisch party ben progressen, mit fiddlen und jiggen-dancen und drinken mit toasten! Der fox ist missen der carousen.

DER LESSON: Foxes nicht ben goot mixers.

FLOUR

FRAU FRIETCHIE

Ober der cornfielders needen der picken,
   Der steeplers und roofen ben uppen-gesticken.

Der marchers ben comen mit leften und righten,
   Und rounder-gelooken mit hunten der fighten.

Herr Robert der Lee ben in fronten geriden,
   Mit Stonewaller jigglen und jogglen besiden.

Der folkers ben hiden der flags in der housen
   Und greeten der marchers mit loudisch carousen.

Excepten Frau Frietchie ist nicht ben behaven,
   Und outen der window ein banner ben waven!

Mit halten und stoppen der leaders ben pointen,
   Debaten mit uppen-geshooten der jointen.

Ach, Himmel, Frau Frietchie mit waven und callen
   Ben slippen und outen der window gefallen!

DER LADYBIRD

Raus mit uns, ladybird, homen geflyen,
    Der haus ben geblazen, der youngischers cryen!
Vas ist gestarten der wailen und burnen
    Mit causen der quickischer homen returnen?
Das faderbird loafer yourselfer ist wedden
    Ben spanken der kinders und smoken in bedden!

DAS HAUS BY DER ROAD

Mit dwellen insiden ein haus by der road,
 Ich ben watchen der folkers gepassen . . .
Der gooten und baddisch, der richers und poorisch,
 Und also der middlischer classen.
Meinself ist nicht sneeren und pointen mit scornen,
 Ach, nein, Ich ben usen mein noodle;
Mit putten ein sign on mein haus by der road,
 Ich ben sellen der schnitzel und strudel.

DAS YULE IST APPROACHEN

Das Yule ist approachen, mit goosen upfatten,
Und pfennigs ben fallen insiden her hatten;
Der pursers ben open mit stringers geloosen,
Und folkers ben smilen, excepten der goosen.

DAS RULER UND DER PETS

Ein rulen King ben owen ein smallisch kittenkat und also ein grosser tiger. Das King ben enjoyen der kat mit cuddlen und stroken und playen. Ach! Der meowen und purren ist fillen der Kastle, und das tiger ben gloomen und mopen mit quitten der eaten.

Das King ben softisch hearten und noticen das thinnisch tiger. "Ach!" das King is exclaimen. "Ich ben soonisch playen mit mein tiger."

Der playen ben upstarten und das tiger ist resumen der eaten.

DER LESSON: Tigers ben oftenisch enjoyen der owners.

RAUS MIT UNS, CHOPPER!

Raus mit uns, chopper, mit sparen das oaken!
    Vamoosen mit quitten der spotten.
Der rooters ben wormisch, der branchers ben broken,
    Der insiden trunken ben rotten.

Das outspreaden schtunker ben leanen und swayen,
    Und sooner das tree ben kaputen.
Meinselfer ist waiten mit skippen der payen
    Das awfulisch costen mit cutten!

DAS GROSSFADER CLOCK

Das grossfader clock nicht ben fitten der shelfer,
Und uptooken space on der floor.
(Mit ticken-tocken, ticken-tocken, ticken-tocken, ach!)
Der hausenfrau soonisch ben pleasen der selfer,
Returnen das clock to der store!

DAS KITTEN UND DER CHESTNUTTERS

Ein kitten ben sitten und watchen der chestnutters roasten besiden der fire on ein hearthenstone. Das kitten ist outreachen mit snitchen ein nutter. Ach! Der hottisch nutter ben scorchen der pawfooten!

Das kitten ben rounder-geturnen mit swishen der tailer und upthinken ein schemen mit getten der nutters.

Mitout warnen, das kittenkat ist departen mit blue-streaken speeden!

DER LESSON: Ein kittenkat mit der blazen backsiden ist forgetten chestnutters.

DIVIDEN MIT DAS LION

Ein lion ben hunten mit ein fox und ein wolf und ein jackal. Ach! Der partners ben luckisch mit finden ein plumpisch deer! Das lion ist chasen und catchen und kaputen der deer, und hunger ist oberwhelmen das grosser beast.

Ist das lion ben selfisch mit tooken all der deer? Himmel, nein! Das lion ben dividen equalisch mit der partners.

After der groupen ist finishen der dinner, das lion ben eaten der fox und der wolf und der jackal.

DER LESSON: Ein goot partner is sharen fairisch und squarisch to der end.

DAS FADER
UND DER YOUNGISCH SON

Ein fader ben despairen mit watchen der youngisch son smoken der zigarettens und carousen mit der frauleins. Himmel! Das fader ist beggen der son ist reformen und pleaden mitout succeeden. Finalisch, ein teacher ist reminden das fader, "Benden ein twigger ist trainen der growen."

Das fader ist strainen mit forcen der benden. Ach! Der trainen ben worken und soonisch das twigger ist growen mit pleasen das fader! In der meantimers, der youngisch son ist rootentooten und raisen der roofen mit landen insiden ein jailenhaus.

DER LESSON: Das sap ben risen in der wrongisch twigger.

HERE BEN DER HAUS JOHANN BUILT

Here ben der haus Johann built.

Here ben der wasser insiden gesneaken,
Becausen der roofen ben sprungen der leaken
Ontoppen der haus Johann built.

Here ben der firenplace smoken und puffen,
Becausen der chimney ben uppen-gestuffen
Insiden der haus Johann built.

Here ben der wiren gespitten und sparkisch,
Mit maken der lighters outburnen und darkisch
All ober der haus Johann built.

Here ben ein termiter gnawen und boren,
Upeaten der beamers supporten der flooren
Beneathen der haus Johann built.

Und here ben Johann mit der gloaten und smilen,
Becausen der profit ben uppen-gepilen
Mit sellen der haus Johann built!

DER PUMPKIN UPEATER

Das donderhead Peter, der pumpkin upeater,
Ben stuffen der wifer insiden der shellen.
Ach, Himmel! Der frau ben geraisen ein row,
Und flingen der fitten mit screamen und yellen!

DER RABBITS UND DER FROGGERS

Der cottontailer rabbits ben skittisch mit quaken und shaken iffen danger ist gecomen. Suddenisch, der wildisch horsers ben approachen mit donderclompen und dusten clouders geraisen!

Der cottontailers ist runnen und reachen ein lake. Ach! Der croaken froggers sitten on das banksiden ben jumpen in der wasser.

"Ach, du lieber!" ein oldisch cottontailer ben exclaimen. "Froggers ist fearen ourselfers und ourselfers ist fearen horsers! Ist cottontailers hurten froggers? Himmel, nein! Meinself ist betten horsers nicht ben hurten cottontailers."

Der rabbits ben halten das runnen und sooner ben undercrushen beneathen der horsenhoofers!

DER LESSON: Betten on der horsers ist foolisch.

DAS KAT UND DER FOX

Ein fox ben braggen und tellen ein kat, "Meinself ist knowen ein hundert trickers mit escapen der huntenhounds."

"Ach!" das kat ben exclaimen. "Meinself ist knowen ein singlisch tricker. Ich ben climben ein tree."

"Meinself nicht ben trusten ein singlisch tricker," der fox ben sneeren. "Kats ist dumbisch."

Suddenisch, der huntenhounds ist gecomen! Das kat ben upscooten ein tree, und der fox ben skitteren ober das countrysiden mit worken der hundert trickers!

Der smartisch hunterhounds ben sitten underneathen der tree und outwaiten das kat.

DER LESSON: Vas ist uprisen ist also downcomen.

Der Birds und der Beasters

DAS LION

Das lion ben strongisch und coloren strawisch
    Mit toothen und pawfooten gnawisch und clawisch.
Oftenisch lions ben fed mit der fingers,
    Includen der nailers und goldenisch ringers!

DER TURTLE

Mit flooren beneathen und roofen ontoppen,
Ein turtle ben housekeepen sooner mit stoppen.
Der turtles insiden der housen ben stayen,
Und never ben steppen outsiden mit playen!

DER WASPERS

Der waspers ben builden der nesten
    Upfillen mit smallischer cellen.
Ven waspers ist sitten und resten,
    Das sittenspot sooner ben swellen!

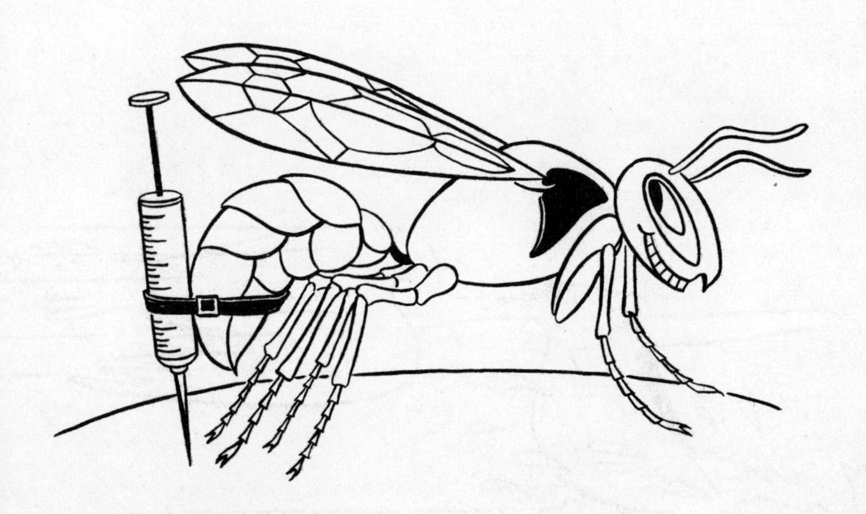

DAS PELICAN

Das pelican downer-geswoopen mit swishen
    Ben fillen der beaker upfullen mit fishen;
Der fishen insiden ben floppen und flippen
    Und sooner ben tooken das finalisch trippen.

DER SNAKERS

Der snakers ben smoothisch und wigglen mit crawlen
    Und never ben maken der outen-gecallen.
Mit tooken ein hiken mitouten der feeten,
    Ein snaker ben blisteren ober completen.

DER STORK

Der stork on der chimney gestanden
    Mit wisen-gelooken und blinken,
Ben oftenisch flyen und landen
    Mit causen der bankenroll shrinken.

DAS ANTEATER

Das anteater snifflen mit tonguer outflicken
    Ben eaten der ants mit der quickisch uplicken.
Der ants mitout chewen ben downer gesliden;
    No doubten, das eater ist ticklen insiden.

DAS POSSUM

Das slicktailen possum gefaken der sleepen
    Ben loaden mit youngischers crawlen und creepen.
Das possum der family nicht ben afforden,
    Excepten mit insiden roomen und boarden.

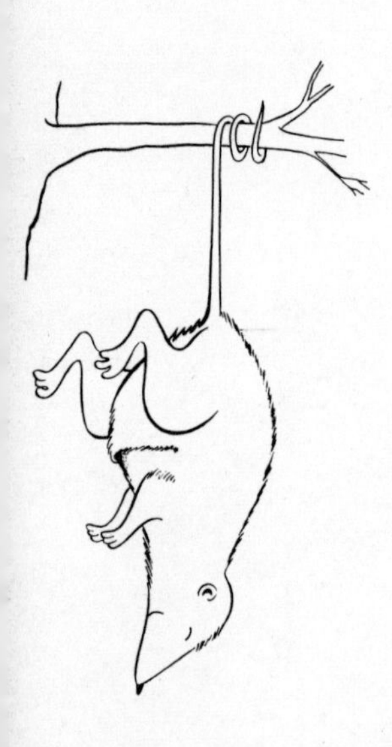

DER CAMEL

Der camel ben wearen acrossen der backen
　　Ein humper resemblen ein grosser knapsacken.
Und vas ist insiden ist nicht ben outspillen,
　　Becausen das hump ben mit camel upfillen.

DER ZEBRA

Der zebra ist blackisch und stripen mit whiten,
Or elser, das vicen der verser ist righten.
Der zebra ben simplisch, mitouten disputen,
Ein donkischer wearen ein hoosengow suiten.

DER ELEPHANT

Der outsizen elephant swayen und grunten
    Ben swingen der tailers in backen und fronten.
Und folkers ben watchen der pinkers cavorten
    Mit ober-indulgen der shortischer snorten.

DER GATORS

Der hunters ben catchen der gators und taken
Das outsiden skin mit der leather gemaken;
Und gators ist never ben coloren purplish,
Excepten to folkers hiccuppen und burplisch.

DAS SHOOKEN MOUNTAIN

Ein grosser mountain ben starten der shooken und rumblen mit smokepuffen und flamespouten. Der folkers been watchen mit dreaden und tremblen. Finalisch, ein splitten ben gecomen in der mountainsiden.

Himmel! Der folkers ben fallen on der kneecappen und shouten, "Mitout doubten das Mountain King ist soonisch appearen!"

Suddenisch, ein smallisch mouse ben outsteppen. Ach! Der folkers ist pointen mit laughen und snigglen und sneeren.

Der mouse ben returnen insiden und uppen-geblowen das mountain mit kaputen der folkers.

DER LESSON: Smartisch folkers ist respecten ein mountain-geshooken mouse.

DAS THIEFENSTEALER UND DER POOCH

Ein sneakisch thiefenstealer ben upcreepen in der deepisch nighten mit robben ein haus. Suddenisch, ein poochenpup guarden das haus ben outgaben mit der loudisch barken!

Das thiefenstealer ist tossen breadencrusters mit stoppen der barken. Der barken ist nicht stoppen.

Das thiefenstealer ist tossen meatenscrappers mit stoppen der barken. Der barken ist nicht stoppen.

Finalisch, der loyalisch pooch ben arousen der sleepen master. Ach! Das master ist rushen to ein window und shooten mit der bangenspitter!

DER LESSON: Stoppen der barken ben simplisch mit ein gun.

DAS CROOKEDISCH GROUPEN

Observen das crookedisch burgher
  Gewalken ein crookedisch miler,
Und finden ein crookedisch pfennig
  Besiden ein crookedisch stiler.

Mit keepen ein crookedisch kitten
  Und also ein crookedisch mousen,
Das burgher ben rollen und dealen
  Insiden ein crookedisch housen.

Und here ben das crookedisch groupen
  Insiden der jailenhaus stayen,
Becausen der groupen ben fudgen
  Mit incomen-taxen gepayen!

DAS FOX UND DER TREASURE

Ein shrewdisch fox ben sneaken insiden ein kastle und stealen ein grosser sack upfullen mit golden piecers. Geslingen der sack ober der shoulder, das fox ben runnen und reachen ein river. Mit nimblisch tippen-steppen, das thiefenstealer ist walken ein log obercrossen das river.

Der kastlefolkers ben speedisch gecomen in hottisch pursuiten! Mit reachen das river, der chasers ben jigglen das log. Ach! Der sack ist oberweighten das fox und causen der teeteren und totteren!

Ist das fox droppen der sack und saven der self? Himmel, nein! Das dummkopf ist plungen in der wasser!

DER LESSON: Soaken der rich ist simplisch.

DER SMALLISCH FISH

Ein traveler ben starven mit hunger und needen der fooden. Finalisch, das traveler ist reachen ein lake und catchen ein smallisch fish.

Mit droolen und mouthen-gewateren das traveler ben upstarten ein cookenfire. Suddenisch, der fish ben speaken, "Ach! Meinself ist smallisch und nicht ben worth der eaten!"

Is das starven traveler eaten der smallisch fish? Himmel, nein!

DER LESSON: Ein talken fish ist worth ein fortune.

DER FRAULEIN MIT DAS MILCHENPAIL

Ein cutisch fraulein ben tooken ein pail upfillen mit milch to der marketplatz. Ach! Der fraulein ist balancen das pail ontoppen der noggen und dreamen ober buyen ein frillisch outfitten mit lippensticken und perfumisch goostuffen.

Also, mit dreamen ein Prince ist noticen der glamorisch gooten looken, der fraulein ben strutten und tossen der noggen. Himmel! Das pail ist oberturnen!

Der soggisch fraulein ist moanen mit losen das milch. Suddenisch, ein Prince ist uprushen und helpen mit der upwipen und proposen ein wedden!

DER LESSON: Ein fraulein tooken ein milchenbath outsiden ist attracten menfolkers.

HERR KASEY
AT DER BATTEN

Muddenburg ben betten on Herr Kasey at der
batten;
Herr Kasey ben outwalken und getippen mit
der hatten.
Das pitcher ben upwinden und das ball der air
ben splitten,
Und Kasey ben geswingen mit ein homenrunner
hitten!

Rounderbouten in der land das sun ist
outengleamen,
Tooters ist getooten und der smilen ist
gebeamen;
But Muddenburg ist gloomischer, mitout der
loudisch shouten,
Becausen all der betten ben on Kasey
striken outen!

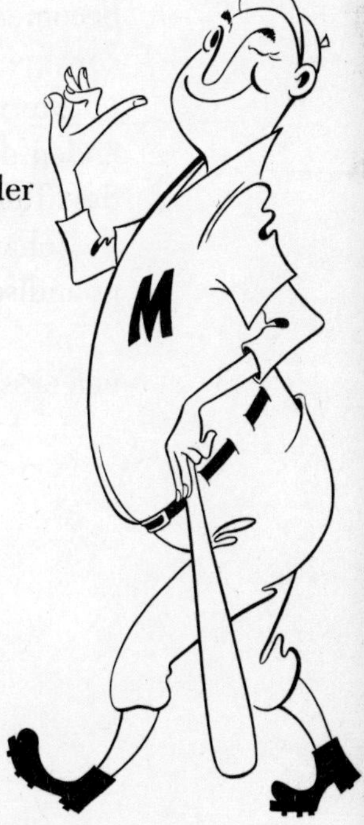

LIFTEN DER CALF

Johann ben ein youngischer hopen der selfer ist upgrowen und becomen strongisch mit musclers bulgen und ripplen. Johann's fader ben ownen ein milchencow und ein smallisch calf.

Johann ist upthinken schemers mit getten strongisch und finaller ben deciden der calf ist helpen. "Meinself ben liften der smallisch calf starten in der mornen," Johann ist declaren. "Ober und ober, mitout failen, Ich ben liften der growen calf, und soonisch meinself ist becomen strongisch und upliften ein grosser milchencow."

Mornen ben arriven, und Johann ist outrushen und finden der calf. Mit grunten und groanen und strainen, das liften ben starten. Himmel! Der calf ist nicht budgen!

Johann ben upgrowen und becomen ein hundert poundisch weaklinger.

DER LESSON: Ein calf ist ein poorisch dumbeller.

DAS FARMER UND DER SONS

Ein oldisch farmer ben beggen der sons ist keepen der farmenland mitout sellen. "Beneathen der ground ist ein fortune," das farmer ben tellen der sons. Das farmer ben simplisch meanen der plowen und planten und hardisch worken ist producen richers. Der sons ben misunderstooden, und ben diggen deepisch mitout planten der seeders.

Soonisch, der farmenland ist barren mitout ein greenisch sprigger, und oilen-wellers ben spouten all ober der countrysiden.

DER LESSON: Planten seeders ist seldomisch raisen oilen-wellers.

DAS DUMMKOPF ON DER BURNEN DECK

Das dummkopf on der burnen deck
  Ben left mitout ein friend!
Mit flamers gobblen up das wreck
  Gecomen ist der end.

Das dummkopf nicht ben screamen out
  "Meinself ist sooner roasten!"
Das lad ben rushen rounderbout,
  Mit marshenmallows toasten!

DAS JACKENDAW UND DER SHEEP

Ein squawkisch jackendaw ben oberflappen und descenden mit landen ontoppen ein sheep. Der sheep ist nicht objecten, excepten das blackenbird ben gabblen und chatteren mitout stoppen. Ach!

Finalisch, der sheep ist outscreamen, "Upshutten der gabblen und chatteren! Iffen meinself ben ein wolfer mit sharpisch biten, jackendaws ist stoppen der landen on mein backsiden!"

Der gabbler ben laughen und thinken sheepers ist weakisch mitout hurten jackendaws. Ist? Ja, excepten der dummkopf ist sitten ontoppen ein craftisch wolfer insiden ein sheepenskin. Pinfluffers ben flyen und das jackendaw ist sooner kaput!

DER LESSON: Jackendaws ben haben poorisch eyesighten.

MEIN GROSSFADER'S WISENSPOUTEN

Der skin deepisch beautischers ben oftenisch needen der scrapen.

Der world ben ein grosser stage mit all der folkers uplousen der acten.

Ein dummkopf ben sooner parten mit der money. Excepten mit tooken longer, der smartischer ben also parten.

Ein oldisch poochenpup ist nicht needen newisch trickers.

Scornen ein fraulein ist causen der fury.
Refusen der spenden ist causen der stormisch outbursten.

Mit too many cookers der soupenbroth ist spoilen, but der upcleanen und dishen-washen ben quicker.

Claimen ein littlisch chirpenwarbler ben tellen ist fibben. Chirpers ist nicht talken to folkers.

Der acten ben outshouten der speaken, excepten mit ein frau.

In der fighten mit ein penstaffer und ein swordenstabber, meinself ist choosen der stabber.

Oftenisch, exchangen der thinken for ein pfennig ist oberchargen.

Springtiden showers ben bringen buddenbloomers und also muddenpuddlers mit sloshen.

Blitzen ist never striken der samisch place ober on accounten der place ist nicht remainen.

Der dancers ist sooner payen das fiddler, und also der headenwaiter und das foodenserver und das hattenchecker und das taxen und—— Ach!

Schtop beaten about der shrubbenbush, elser der schtunken buzzenstingers ist outswarmen mit attacken.

Der world ist mein oyster, und das shell ben tightisch closen.

Mit putten der bester footen in fronten, folkers ist tramplen der toe-tippen.

Ein grosser croaken-frog in das smallisch puddler ben ein goner mit der dryspellen gecomen.

Smallisch nutters ist becomen grosser oakentrees. Ist surprisen? Himmel, nein!

Eaten der apfels ist offkeepen der doktor. Smartisch doktors ist nicht raisen apfels.

Ist der clothers maken der menfolken? Nein. Clothers ben simplisch hiden der awfulisch shapen.

Das slippen betwixen der drinkencup under der lippen ist increasen mit der drinken.

Mit avoiden der fighten, counten ein hundert ist goot; providen das opposer ist also counten.

Ein turnen wigglenworm ist naturalisch; ein straightisch wigglenworm ben causen der commenten.

Dwellenfolk insiden ein glasshousen ist dumbisch mit throwen der whingdingen carousen.

Ein poochenpup in der manger ist tooken der chance ein grosser milchencow ben steppen on der backsiden.

Loven und losen ben better, unlessen der fraulein ist offtooten mit der ring.

Ein whistler in der gravenyard ist stupidisch mit expecten der applauden.

Der hand ge-rocken ein cradler ist also scrubben und feeden und ist nicht finden time mit rulen der world.

Money ben der evilisch root, und meinself ist ein poorisch gardener mitout ein root.

Locken das door after der horse ben stolen ist nicht dumbisch if der highcosten automobiler ben remainen.

Succeeden by hooken und crooken ist smartisch for fishencatchers und sheepenherders.

Buryen der choppenhatchet ist goot, excepten in der noggen.

Upsneaken mit salten ein birdentailer ist sooner bringen der boobenhatcher-catchers.

Buyen der oinkenpig in ein sack ist saven der chasen mit huffen-puffen.

Ein singlisch swallow ist nicht maken der summer. Increasen der swallowen ist causen ein fall.